Cleite ag amaidí

Bíonn foghlaithe mara beaga ina gcónaí lena n-athair agus lena máthair, na foghlaithe mara móra. Agus i measc na bhfoghlaithe mara móra, tá foghlaithe mara dána ann, a bhíonn ag goid is ag troid, agus foghlaithe mara deasa, a théann ag cuardach órchistí.

An Captaen Plúr is ainm d'athair Chleite. Tá sé an-deas. Bhí sé ina bháicéir ar dtús, ach thaitin an taisteal leis. Mar sin, dhíol sé an bácús, agus cheannaigh sé long ina áit. Thug sé an *Bolg Lán* mar ainm ar an mbád agus, ó shin, is foghlaithe mara gach duine de mhuintir Phlúir.

Tá Cleite freisin an-deas. Caiscín is ainm dó ó cheart, ach tugadh Cleite air mar go raibh sé tanaí. Cuimlíonn sé gob Rísín, pearóid mhuintir Phlúir, agus cuireann sé dinglis sna héisc eitilte.

Ach, bíonn laethanta ann ina ndéanann foghlaithe mara beaga rudaí seafóideacha....

An mhaidin sin, dhúisigh Cleite go cantalach. Tarlaíonn sé sin dúinn ar fad. Ní raibh sé sásta na húlla a scamhadh dá athair, a raibh toirtín mór millteach á dhéanamh aige.

Ansin chuaigh Cleite ag bualadh ar phota, nuair a bhí a mháthair (a bhfuil an-tóir aici ar cheol) ag casadh ar an gcláirseach ar an deic.

A leithéid de ruaille buaille. Mar phionós, cuireadh Cleite ina shuí faoin gcrann seoil mór.

Thosaigh a dhearthair mór Bairín agus a dheirfiúr mhór Toirtín ag magadh faoi.

Ghlaoigh Rísín amach go seafóideach: 'Pionós ar Chleite! Salann agus leite!'

'Tá sé sách maith aige,' a dúirt Éclair, a bhí bliain níos óige ná é.

Nuair a chuala Cleite é sin léim sé ar Éclair, agus thosaigh sé á bualadh. Ansin, bhain sé plaic as Rísín.

Bhí sé ina chíor thuathail!

Bhuail Cleite cic mór ar roth stiúrtha*
an *Bhoilg Láin*, agus rinne sé ceithre
chuid de.

'An bhfuil náire ar bith
ort?' a d'fhiafraigh
a athair de.

'Má choinníonn tú ort, beidh tú i d'fhoghlaí mara dána,' a dúirt a mháthair. 'Náireoidh tú muid ar fad!'

'Ní íosfaidh tú siorc rósta arís go ceann míosa,' a dúirt a athair.

'Agus caithfidh tú íoc as an roth stiúrtha a bhris tú,' a dúirt a mháthair.

'Íoc as?' a dúirt Cleite. Bhí a dhá shúil ar leathadh.

Ach cén chaoi? Ní raibh oiread agus sabhran* ag Cleite. Chaith sé a chuid airgid póca ar fad ar phíosaí seacláide a thug sé leis go hOileán na Toirtíse. Thug sé iad dá chara Péarla, iníon rí na gcanablach.

Bhí Éclair agus Toirtín ag magadh faoi Chleite mar go raibh sé i ngrá. Nach iad a bhí cruálach! Amach anseo, bheadh Cleite ina laoch. Thiocfadh sé ar órchiste ollmhór, agus ní bheadh a chuid deirfiúracha ag magadh faoi níos mó.

Caithfidh Cleite a athair a chúiteamh as an roth stiúrtha a bhris sé....

Caibidil 2

Oileán na bPéarlaí

'Tá mé tinn tuirseach de seo!' Lig Cleite osna as, agus chuimil sé an t-uisce dá bhaithis.

Chaithfeadh sé céad péarla a aimsiú le híoc as an roth stiúrtha.

Chuir a thuismitheoirí i dtír é ar Oileán na bPéarlaí sa Mhuir Chairib. Ní thiocfadh an *Bolg Lán* ar ais lena

bhailiú go ceann cúpla lá. Bhí an saol ina dhiabhal!

Gach maidin, bhí Cleite ina shuí le héirí na gréine. Chuaigh sé ag tumadh agus ag baint oisrí ar ghrinneall na farraige. Bhain sé de na carraigeacha iad le scian, ansin shnámh sé go dromchla na farraige. Dá n-aimseodh sé péarla in aon oisre, chuirfeadh sé isteach ina mhála é go cúramach.

Ach an mhaidin seo, bhí uaigneas ar Chleite. Chuimhnigh sé ar a mhuintir, agus ar Phéarla. D'airigh sé uaidh go mór iad.

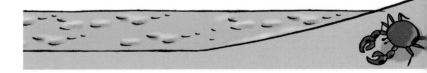

Go tobann, chuala sé osnaíl taobh
thiar de dhumhach ghainimh. Nuair a
bhreathnaigh Cleite, cé a bheadh ann
ach Crúca Beag, an cara is fearr a bhí
aige.

Bhí súile glasa ar Chrúca Beag, gruaig fhada fhionn agus fáinne cluaise a chuir cuma an rógaire air.

'Céard atá tú ag déanamh anseo?' a d'fhiafraigh Cleite de, agus iontas air. 'Bhuel... thóg mé compás mo dheaide gan chead, agus bhris mé é,' a dúirt Crúca Beag. 'Caithfidh mé dhá chéad péarla a aimsiú dó leis an gcompás a chúiteamh leis.'

Dhá chéad péarla! Bhí an captaen cáiliúil Féasóg Fhionn, athair Chrúca Bhig, i bhfad níos déine ná an Captaen Plúr.

'Ar fhág do dheaide bia agat?' a d'fhiafraigh Cleite de.

'Arán tur agus feoil tirim,' a dúirt Crúca Beag de gheoin.

'Go maith. Ligfimid scíth anois agus iarrfaimid ar Fhlic-Flac iasc breá a thabhairt chugainn.'

'Ceart go leor,' a dúirt Crúca Beag, agus meangadh mór gáire air.

Bhí Flic-Flac, peata deilfe Chrúca Bhig, ag snámh thart timpeall sna tonnta. Chomh luath is a chonaic sé Cleite, sheas an deilf ar a eireaball agus thosaigh sé ag bualadh bos.

Ag an nóiméad sin, chuala an bheirt ghasúr osnaíl mhór taobh thiar de dhumhach ghainimh eile.

'Ó mo léan....'

'Aithním an glór sin!' a dúirt Cleite, agus é ag éirí den talamh le ríméad.

Bhí cailín beag a raibh gruaig fhada dhubh uirthi ag cuimilt pearóide a bhí suite ar charn mór sliogán oisrí.

Cé a chreidfeadh é! Ba í Péarla, cailín Chleite, agus Cócó, a pearóid, a bhí ann.

*Ar Oileán na bPéarlaí, casann Cleite, Crúca Beag,
agus Péarla ar a chéile....*

Féasóg Bhearrtha!

Mhínigh Péarla do na gasúir gur dhoirt sí pota mór te anraith ar chosa a hathar, rí na gcanablach. Phreab sé san aer agus thit sé ar mhullach a chinn anuas ar chloch.

'Céard a tharla ansin?' a d'fhiafraigh Crúca Beag di.

'Bhris sé a choróin,' a dúirt an cailín

beag go brónach. 'Caithfidh mé trí chéad péarla a aimsiú le híoc as.'

Bhreathnaigh Cleite agus Crúca Beag ar a chéile go héadóchasach: Bhí gach tuismitheoir chomh dona céanna!

Ach ar deireadh, bhí sé níos éasca orthu mar gur gearradh pionós ar an triúr acu. Rinne an triúr teachín dóibh féin i bpluais bheag ar bharr cnoic. Chuir siad a gcuid péarlaí agus a gcuid bia i bhfolach ann.

Chaith siad an t-am ag rith ar an trá, ag snámh sna tonnta agus ag léim ar nós míolta móra. Ina shuí in airde ar Fhlic-Flac, théadh Crúca Beag ag rásaíocht leis na héisc eitilte.

Chuaigh Péarla agus Cleite ag siúl ar

an trá. Tharraing siad croíthe ar an ngaineamh. Bhí sé thar a bheith rómánsach, go dtí gur bhuail Rísín agus Cócó a gcuid sciathán agus gur bhéic siad, 'Cúcú! Tóin thar ceann i ngrá!'

Bhí Crúca Beag ag cuimhneamh ar Éclair, deirfiúr Chleite. Bhí sé i ngrá léi, ach níor theastaigh uaidh é a rá os ard!

Chaith an triúr cúpla lá ag obair le cúnamh na n-ainmhithe.

Thug Flic-Flac an t-uafás oisrí go dromchla na farraige. Sciob Rísín agus Cócó leo iad agus chaith siad anuas ar charraig iad. Briseadh na hoisrí, agus bhailigh na gasúir na péarlaí. Éasca péasca!

Ach maidin amháin, dhreap Crúca Beag in airde ar chrann bananaí ag iarraidh a bhricfeasta, agus lig sé béic as.

'Breathnaigí. Tá long ag teacht!'

'Cén long?' a d'fhiafraigh Péarla de.

'An *Crochadóir*, long an chaptaein Féasóg Bhearrtha. Tá sé sin níos measa ná mo dheaide féin!' a dúirt Crúca Beag go faiteach.

Bhí an triúr cairde ag bailiú péarlaí nuair a chonaic siad long an chaptaein bhrúidiúil Féasóg Bhearrtha ag teacht chucu....

Caibidil 4

Léigear na pluaise

Chuir an *Crochadóir* ancaire* san fharraige amach ón oileán. Tháinig na mairnéalaigh i dtír agus gunnaí agus claimhte acu.

Bucainéir* a raibh ribí ag fás ar a shrón ab ea Féasóg Bhearrtha.

Shuigh sé ar charraig agus scrúdaigh sé mapa den oileán. Bhí giolla loinge

an-donn, cosnocht, agus faiteach, ag coinneáil scátha gréine os a chionn. Chuaigh Cleite agus a chairde i bhfolach sa phluais, ar bharr an chnoic. Cé go raibh an bealach isteach an-chúng, dhreap na foghlaithe mara chomh fada leis agus chonaic siad an phluais.

Ghríosaigh Féasóg Bhearrtha iad le béiceanna. Thug an giolla loinge gunna gráin* mór chuige. Bhuail Féasóg Bhearrtha cic mór sa tóin air, ansin dhírigh sé an gunna ar an bpluais.

'Tagaigí amach,' a dúirt sé. 'Tabhair dom na péarlaí,' a bhéic sé.

'Ní thiocfaidh,' a d'fhreagair Cleite. Bhraith siad go raibh siad an-chróga.

D'ionsaigh na foghlaithe mara, ach thosaigh an triúr ag caitheamh leo. Bualadh Féasóg Bhearrtha le banana sa tsrón. Bualadh an giolla loinge le cnó cócó ar mhullach a chinn. Thit sé ar an talamh, agus d'imigh na foghlaithe mara de rith.

Lean Rísín agus Cócó na foghlaithe mara agus iad á bpriocadh lena ngob.

Tháinig Cleite agus Crúca Beag amach as an bpluais, cheangail siad an giolla loinge, agus tharraing siad isteach sa phluais é.

'Cé thú féin?' a d'fhiafraigh Cleite de.

'Juanito, giolla loinge an *Chrochadóra*,' a d'fhreagair an príosúnach.

'Nach bhfuil náire ar bith ort muid a ionsaí mar sin?' a d'fhiafraigh Crúca Beag de.

'Ní raibh aon rogha agam ann,' a dúirt Juanito. 'Bádh mo mhuintir i bhfad ó shin, agus chuaigh mé sna foghlaithe mara ar fhaitíos go bhfaighinn bás den ocras.'

'Ach shílfeá go mbeifeá i d'fhoghlaí mara deas, cosúil le Cleite,' a dúirt Péarla. 'Tá Cleite an-chróga!'

Las Cleite go cluas le mórtas.

'Is gearr go dtiocfaidh mo dheaide, an captaen feargach Féasóg Fhionn,

chun muid a shábháil,' a dúirt Crúca Beag. 'Bainfidh sé an cloigeann díot.'

'Tiocfaidh mo dheaide-se, an Captaen pusach Plúr, agus gearrfaidh sé ina phíosaí beaga thú,' a dúirt Cleite.

'Agus tiocfaidh mo dheaide-se, rí na gcanablach, agus íosfaidh sé gan salann thú,' a dúirt Péarla.

Bhí Juanito bocht ag athrú dathanna. Glas ar dtús, ansin bán. D'imigh an mothú as.

Bhreathnaigh an triúr eile ar a chéile, agus náire orthu.

'Hmmm. Tá mé ag ceapadh go ndeachamar rófhada,' a dúirt Cleite.

'Chuaigh, ach bhí sé greannmhar,' a dúirt Crúca Beag.

Déanann Cleite agus a chairde príosúnach de Juanito,
giolla loinge Fhéasóg Bhearrtha....

Caibidil 5
Éalú!

D'ionsaigh Féasóg Bhearrtha agus a chuid foghlaithe mara arís, ach ní raibh armlón fágtha ag an triúr. Bhí deireadh leo. Bhí Cleite ag cuimhneamh go mbeadh sé crochta de chrann mór an *Chrochadóra.*

D'fháisc sé lámh Phéarla le misneach a thabhairt di.

Ní raibh aon fhonn air laoch a dhéanamh de féin.

Go tobann bhain pléasc creathadh as an bpluais.

Crochadh na crainn chnó cócó, na crainn bhananaí, agus na crainn phailme aníos as an talamh, agus thit siad anuas ar chloigne na bhfoghlaithe mara.

Agus faitíos a gcraiceann orthu, rith Féasóg Bhearrtha agus a chuid fear ar ais go dtí an bád.

Cúig nóiméad ina dhiaidh sin bhí an *Crochadóir* ag seoladh léi thar íor na spéire.

Tháinig an triúr amach as an bpluais agus cé a bheadh rompu ach Éclair agus

Toirtín, bairille lán le púdar gunna an duine acu.

Thuig Cleite gurb iad a chuid deirfiúracha a rinne an phléasc.

'Tá Mama, Deaide agus Bairín ar cuairt ar an gCaptaen Féasóg Chatach,' a d'inis Éclair dó, 'mar sin chuaigh muidne sa tóir oraibh.'

'Is mór an mhaith gur thugamar an púdar linn — ar fhaitíos,' a dúirt Toirtín.

'Nach orainn a bhí an t-ádh,' a dúirt Éclair, agus d'fháisc sí a dhá lámh timpeall ar Chrúca Beag, a bhí chomh dearg le tráta.

Bhí Féasóg Bhearrtha buailte, agus ba laochra iad na deirfiúracha Plúir.

Bhí beagán éada ar Chleite.

D'fhill siad ar fad ar an trá, agus Juanito sna sála orthu, agus cuma imníoch air.

'Céard a dhéanfaidh tú anois?' a d'fhiafraigh Cleite de.

'Níl a fhios agam,' a dúirt Juanito bocht. Bhí Féasóg Bhearrtha an-chruálach, ach anois níl a fhios agam cá ngabhfaidh mé.'

Bhí trua ag Cleite agus Crúca Beag dó. Bhí Juanito ina fhoghlaí mara dána, gan amhras, ach ní air féin a bhí an locht.'

Ach... bhreathnaigh Juanito agus Toirtín ar a chéile. Bhí siad splanctha! Bhí sé ina phléasc fiú!

Tarlaíonn sé sin go minic d'fhoghlaithe mara.

Thuig Cleite go maith, agus theastaigh uaidh cabhrú le Juanito.

Tháinig Flic-Flac go barr uisce agus oisre ar a smut aige.

Rug Cleite air agus thug sé do Juanito é.

'Oscail é,' a dúirt sé. 'Ní bheadh a fhios agat.'

D'oscail an giolla loinge an oisre. Céard a bheadh istigh ann ach péarla mór millteach, chomh soilseach leis an ngealach.

'Sin péarla luachmhar,' a dúirt Cleite leis. 'Anois, beidh tú in ann do bhád féin a cheannach, agus a bheith i d'fhoghlaí mara deas.'

Ach chroith Juanito a cheann. Shín sé an péarla chuig Toirtín agus dúirt: 'Is duitse é seo.'

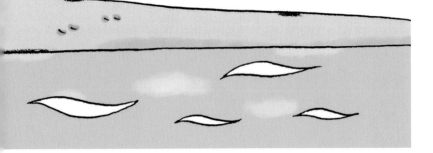

Bhí Éclair agus Crúca Beag ag gáire go ciúin. Is gearr go mbeadh beirt eile i ngrá ar an *mBolg Lán*.

'Níl tú míshásta liom?' a d'fhiafraigh Cleite de Phéarla. 'Bhí cuma chomh brónach ar Juanito. Nuair a bheidh mise i m'fhoghlaí mara mór tabharfaidh mé péarla duit chomh mór le... le....'

'Cnó cócó! Cnó cócó! Cnó cócó!' a bhéic Cócó agus an dá sciathán á mbualadh ar a chéile aici.

Tháinig meangadh gáire ar Phéarla, agus thug sí póg do Chleite, an foghlaí mara ba chineálta ar domhan! Dhamhsaigh Cleite le ríméad: ba í Péarla an cailín ba dheise ar domhan!

An tÚdar

I Strasbourg i 1958 a rugadh **Paul Thiès**. Agus ní faoi chabáiste a tháinig sé ar an saol, ach faoi chrann seoil. Taistealaí mór é Paul Thiès. Tá na seacht bhfarraige agus na cúig mhuir seolta aige. Tá taisteal déanta aige ar ghaileon Airgintíneach, ar charbhal Spáinneach, ar shiunc Seapáineach, ar shiaganda Veiniséalach, agus ar ghaileon órga Meicsiceach — gan trácht ar bháidíní aeraíochta na Seine i bPáras, ná ar thrálaeir na Briotáine. Saineolaí é ar fhoghlaithe mara, ar mhairnéalaigh, ar bhráithreachas an chósta, agus go deimhin ar fhánaithe de gach uile chineál. Ach is é Cleite is ansa leis.

Mar sin, bon voyage agus gach uile dhuine ar deic!

An tEalaíontóir

Louis Alloing

"Bhí an fharraige os comhair mo dhá shúl i gcaitheamh mo shaoil. I Rabat i Maracó ó 1955, agus ansin i Marseille na Fraince, nuair a bhreathnaigh mé amach ar an Meánmhuir chuimhneoinn ar oileáin bheaga, ar thonnta beaga, ar fhoghlaithe mara beaga — agus ar bholadh breá an tsáile. Díreach cosúil leis an Muir Chairib, agus le farraigí Chleite agus Phéarla.

Anois i bPáras, scoite amach ó sholas na Meánmhara agus ó dhromchla gorm na farraige, bím ag tarraingt pictiúr ar pháipéar. Ligim do thonnta na samhlaíochta mé a thabhairt ar lorg Chleite is a chomrádaithe. Níl sé éasca, bíonn siad de shíor ag gluaiseacht! Obair mhór iad a leanúint, agus mé i ngreim i mo pheann mar a bheadh Cleite i ngreim ina chlaíomh. Eachtra mhór le foghlaithe mara beaga!"

❸ An Portán

Clár

Paul Thiès

Oileán na bPéarlaí

LEABHAR
BREAC